창작ING 시인선 4

**하유빈 동시집**

**시·그림 하유빈**

꿈나라 호빵

**꿈나라 호빵**

**발　행** | 2020년 2월 11일
**저　자** | 하유빈
**편　집** | 하승우
**펴낸이** | 한건희
**펴낸곳** | 주식회사 부크크
**출판사등록** | 2014.07.15.(제2014-16호)
**주　소** | 서울특별시 금천구 가산디지털1로 119 SK트윈타워 A동 305호
**전　화** | 1670-8316
**이메일** | info@bookk.co.kr

**ISBN** | 979-11-272-9720-6

www.bookk.co.kr
© 꿈나라 호빵 2020

# 꿈나라 호빵

## 하 유 빈 지음

# CONTENT

새로운 만남

나의 꾸준함

봄이 오는 소리

'나'라는 꽃

선생님 우리 선생님

봄이 되면

행복한 학교 생활

우리 가족 꽃

신나는 수영수업

여름이 오면

즐거운 소풍(고령 대가야박물관)

꼭 할거야!

너가 나빠! (수달을 지켜주세요)

생명은 소중해

오늘은 말 타는 날

가을에는

잿빛 구름

우리가 타는 멋쟁이 지하철

지우개의 하루

## 시인 소개 | 하유빈

대구 출생.
2020년 대구 계성초등학교를 졸업하고,
2020년 2월 중학교 진학을 준비하고 있다.
2020년 대구문예창작영재원 신입생으로 선발되었다.

앞으로도 많은 시와 글을 적어 여러 사람들과 나누고 싶다.

# 숲 속의 바람

별처럼 초롱초롱한
풀 잎 냄새가 풍기는
작고 작은 나는 숲 속의 바람

풀잎 왕관쓰고
풀잎 반지와 목걸이도 하고
나무사이로 살랑살랑 걸어가요

봉숭아 물빛이 보이는 꽃을 찾아
동물친구들도 만나며
즐겁게 지나가는 나는 숲 속의 바람

## 숲 속 색연필

아무도 없는 고요한 사막에
친구가 그리운 색연필이 살고 있었어요

외로운 색연필은
나무도 그리고 풀도 그리죠
그리고 호수도 그렸어요

지나가던 다람쥐가 친구들에게 편지를 써요
'여기 아름다운 숲이 있어'

그러자 토끼와 햄스터 그리고 고슴도치,
거북이 친구들이 찾아와
행복한 숲 속 마을이 되었어요

# 다 람 이

다람 다람
작은 발로 쪼로롱 쪼로롱
달려가는 다람이

다람이는 귀여워
귀여운 다람이

다람쥐에 징그러운
'쥐'를 빼버릴까요?

다람 다람
귀여움만 남아있어
안고싶은 다람이

# 용기와 진실

용기는 자신감
진실은 때론 거짓말

나는 가끔 거짓말을 하죠
나쁘다고 생각하진 않아요

장난으로 놀리는 것은
가끔 상처를 줄 수 있다고

놀리는 사람은 재미로
당하는 사람은 용기로

싸워야 할 때는
더 많은 용기가 필요하지

그건 어쩔 수 없는
우리의 진실

# 봄바람을 타고서

봄바람을 타고서
시원한 하늘을 느낀다

마을을 보면서
꿈처럼 생각한다

조용히 두 팔을 벌리고
날개를 살며시 펼쳐본다

봄바람을 타고서
꽃잎을 타고서

이리저리 흘러가서
시원한 하늘을 느낀다

## 레몬에이드

시원한 노란색 연두색
아름다운 색깔들아!

시원한 상큼 짜릿
정신이 번쩍
내게 무슨 말을 거는 구나

어서 가서 그림을 그려라
어서 가서 운동하거라

나도 모르게 한 입에 쭈욱
다 마셔버린 레몬에이드

# 동물들의 여행

깡충 깡충 토끼야!
어디를 가니?
랄랄랄라
네잎클로버 찾으러 간단다.

느릿느릿 달팽이야!
어디를 가니?
랄랄랄라
안경쓰고 책 읽으러 간단다.

멍멍왈왈 강아지야!
어디를 가니?
랄랄랄라
산골사이로 소풍간단다.

# 도 서 관  사 이 로

도서관을 간다
산골사이로


단풍이 온 나무를 지나
어둠의 길 사이로


가로등의 불빛이 비쳐진다
집 사이로


연필을 잡으며 공부를 한다
새벽부터 아침까지


안녕, 반가워
도서관 사이로 책의 세상을 만난다

# 배꼽

사과에도 배꼽이 있고
복숭아에도 배꼽이 있어요

나도 배꼽이 있고
아빠도 배꼽이 있어요

엄마 나무와 이어져 있던 사과 배꼽
나와 엄마가 이어져 있던 내 배꼽

엄마가 늦게 오면
나는 배꼽을 만지지요

# 보름달

방긋방긋 웃는 보름달아
토끼가 들어 있니?

활짝 활짝 보름달아
소원 빌러 왔다

토끼가 방아에 소원을 찧는다
맛있는 소원의 떡이 빚어진다

반짝반짝 보름달아 그리고 토끼야
내 소원 들어주렴
예쁜 소원의 떡 만들어 주렴

# 구 름

하늘에 둥둥 떠다니는
하얀 솜사탕

바람따라 둥둥 떠나가는
하얀 솜뭉치

코끼리 모양
강아지 모양
토끼 모양
기린 모양
하얀 동물원

밤 하늘에
별 만나러
달 만나러
어서 가자구나

# 가을에 온 손님들

똑똑똑

어서오세요

누구세요?

단풍이예요. 저 예쁘죠?

단풍놀이 하러 오세요.


똑똑똑

어서오세요

이번엔 누구세요?

차가운 바람이예요. 제가 밉죠?

감기에 걸릴 수 있으니 옷을 더 입으세요.


가을이면 찾아오는 손님들

밤도 오고 곶감도 찾아오죠

반가운 손님들도 있지만

찬바람처럼 마음에 들지 않는 손님도 있어요


그래도 가을에 온 손님들

같이 어울려 함께 즐기며 다녀가요

# 눈 사 람 의  소 원

아이는 창문을 바라보며 말했어요.

"제발, 나를 눈사람으로 만들어주세요"

그렇게 말하고 아침밥을 먹으러 갔어요.

아침밥을 먹으려고 내려가다 번쩍 눈사람으로 변해버렸어요.

그리고 밥을 먹으려고 하니 입이 없었어요.

당근은 코로 되어 있었고, 바나나는 입으로 되어 있었죠.

그때 엄마가 말했어요.

"어머나, 왜 이런게 있어?"

엄마는 아빠를 불러 눈사람으로 변한 나를 밖으로 버렸어요.

집에서 쫓겨난 나는 터벅터벅 걸어갔어요.

그때, 소피와 제이슨도 눈사람으로 변해 있었어요.

어른들의 눈에는 모두 눈사람이었지만, 우리는 서로 알아볼 수 있었어요.

소피가 말했어요.

"우리가 왜 이렇게 변했을까?"

"우리 학교에 가보자"

내가 말했어요.

"선생님은 우리를 알아보고 고쳐주실거야"

제이슨이 말했어요.

셋은 뒤뚱뒤뚱 걸어갔어요.


"왜 이런게 여기 있지?"

셋을 본 선생님을 말했어요. 물론 셋은 밖으로 쫓겨났어요.

터덜터덜 걸어가다 배가 너무 고팠어요.

각자 자기 코에 있는 당근이라도 먹기 시작했어요.

"내 코는 단추라서 먹지도 못해."

소피가 말했어요.

그때 나는 나의 바나나 입을 반 잘라 소피를 주었어요.

근데 제이슨은 말이 없었어요.

돌아보니 당근 코과 바나나 입을 모두 먹어 버린거예요.


제이슨은 눈물을 흘리기 시작했어요.

셋을 부둥켜 안고 펑펑 울었어요.

그러자 서로의 눈물 때문에 우리의 온 몸이 녹기 시작했어요.

눈이 논자 원래의 우리 모습으로 나타났어요.

셋은 너무 기뻐 하늘을 날 듯 했어요.

그리고 우리는 집으로 돌아가서 저녁 밥을 맛있게 먹었어요.

# 떡볶이

맵고 맵고 맛있어
목에서 얼굴에서
땀이 뚝뚝
그래도 호호거리며
먹고 싶은 떡볶이

생각만 해도
입속에선 침이 고이는 걸
맵지만 '달콤해' 소리까지
함께 삼키면서
먹고 싶은 떡볶이

맵고 맵고 맛있는
언니와 동생과
바라보며 미소 지으며
오순도순 함께
먹고 싶은 떡볶이

23 하유빈

# 숨바꼭질

육지로 가라
바다가 잡을라

육기로 가라
바다가 잡는다

바다가 잡을라
어서어서 육지로 가라

찾아보자
찾아보자

육지에 사람 잡자
여기 잡았다

# 즐겁고 신나는 하루

오늘은 특별한 날
온 가족이 모여서 특별한 날

사촌들이 모두 모여 좋은 날
모두 모두 웃음 지으며 좋은 날

외할아버지 생신을 축하하는 날
촛불을 후후 소원을 빌어 행복한 날

오늘 친척들과 게임도 하고
맛있는 음식도 많이 얌얌

온 가족이 모여서 즐거운 날
그래서 특별한 날

# 팥빙수 마을

윗마을과 아랫마을이
함께 사는 팥빙수 마을

윗마을에는 아이스공주
아랫마을에는 팥돌왕자

서로 만나지 못하여
마음까지 차가워진 공주와 왕자

과일을 좋아하는 아이스 공주
아이스크림을 좋아하는 팥돌왕자

좋아하는 것도 먹지 못하여
꽁꽁 모두 얼어버린 공주와 왕자

하얀 우유를 주르륵 주르륵
드디어 만나게 된 아이스공주와 팥돌왕자

그리고 함께 반짝이는 은빛의 수저마차를 타고
사이좋게 자리 잡고

내 입으로 쏘옥

시원하고 맛있는 입 속 세상에서 행복한 아이스공주와 팥돌
왕자

## 바람의 여행(천왕산에서)

어디에서 온 바람인가
바람은 시원함을 데리고
여행을 다니나 봐요

단풍나무도 지나고
호박소도 지나고
억새밭도 지나가요

그러다 천황산 아래에
케이블카를 기다리는
유빈이를 만났어요

케이블카를 타고
올라가는 유빈이에게
창문 넘어로 인사를 나누어요

억새밭 사이를 걸어가는
유빈이를 바라보며
흐뭇한 미소도 지어주어요

바람은 어느새
유빈의 팔 사이로 어깨 위로 발밑으로
지나가며 유빈이의 땀도 말려주어요

천왕산 정상에서
수고했다고 나를 바라보며
시원한 바람을 다시 선물해주어요

# 새로운 만남

새로운 선생님
새로운 친구들
새로운 만남들

무거운 가방
울퉁불퉁 언덕
귀찮은 우산

누가 누가 내 친구들일까?
비 오는 개학날
궁금한 만남

따뜻한 선생님
따뜻한 친구들
따듯한 만남들

## 나의 꾸준함

꾸준함은 내가
무엇이든 잘할 수 있도록 도와주네

매일매일 바이올린을 연주하네
언젠가부터 들리는 기분 좋은 소리

매일매일 그림을 그려보네
언젠가부터 보이는 아름다운 나의 그림

매일매일 책 읽기를 하네
언젠가부터 쉽게 읽이는 영어 책들

이런 매일 매일이 모여
무엇이든 잘할 수 있도록 도와주네

# 봄이 오는 소리

개굴개굴 개구리는
흔들흔들 탬버린

분홍 노랑 빨강 봄 꽃은
딩동댕 실로폰

파릇파릇 새싹은
타다닥 마라카스

분홍 하양 벚꽃나무는
댕댕 트라이앵글

개구리와 봄 꽃
새싹들과 벚꽃 나무는
악기를 연주하네

봄이 오는 소리는
행복한 멜로디

### '나'라는 꽃

내가 태어나 우리 집에
'나'라는 꽃이 피었어

그 꽃은 엄마와 아빠의
꿈과 소망이 담겨있는 '나'라는 꽃이라고 해

그 꽃은 음악소리를 좋아하지
그 소리에 나의 꿈과 소망도 담아보고 싶어

많은 사람들에게 행복을 주고
기쁨을 주고 음악소리를 들려주고 싶어

그래서 매일매일 바이올린도 피아노도
열심히 열심히 연습하지

넘어져도 지쳐도 꿈을 향해
한발 한발 나아가는 용감한 꽃이 될거야

# 선생님 우리 선생님

우리 선생님은 음악 시간마다
기타를 쳐 주시네

우리는 앉아서
즐겁게 노래를 부르지

우리 선생님은 수학시간마다
칠판에 수학 연산을 자세히 써 주시네

우리들은 앉아서
재미있게 문제를 풀어보지

우리 선생님은 미술시간마다
그림에 대해 자세히 설명해 주시네

우리들은 앉아서
그림을 이해하고 새롭게 바라보지

우리 선생님은 매 시간마다
우리를 아끼고 사랑을 주시네

우리들도 선생님을

많이 사랑하지

# 봄이  되면

분홍 하양 내려오는 벚꽃
온 세상이 핑크 핑크 세상

파릇 파릇 새싹
온 세상이 초록 초록 세상

아름다운 노랑 개나리
온 세상이 노랑 노랑 세상

짹짹짹 귀여운 새
온 세상이 정다운 짹짹짹 봄의 세상

# 행복한 학교 생활

체육시간인가봐
운동장에서 달리기 하니
내 마음이 즐거워지네

과학시간인가봐
과학실에 가서 실험을 하니
모든 것이 신기하네

미술시간인가봐
알록달록 그림을 그리니
내 마음이 기뻐지네

점심시간인가봐
맛있는 밥도 친구와 함께 먹고
같이 산책도 하고
같이 문구점도 가니
우리 모두 함께 행복해지네

## 우리 가족 꽃

우리 엄마 아빠는 사랑의 꽃이다
엄마는 해바라기 꽃
아빠는 패랭이 꽃


우리 엄마의 부드러운 손길은
나만 바라보는 해바라기 꽃


우리 아빠의 따뜻한 사랑은
항상 옆에 있는 패랭이 꽃


나는 패랭이 꽃과 해바라기 꽃
사이에 있는 행복한 튤립이다

# 신나는 수영수업

첨벙첨벙 물장구
누가 잘하나 볼까?

찰랑찰랑 자유형
누가 누가 잘하나 볼까?

첨벙첨벙 구조시간
빨리빨리 구조하자

신나는 자유시간
친구들과 어푸어푸

신나는 수영수업
기쁨가득 재미가득

# 여름이 오면

여름이 오면 뜨거운 햇빛이 놀러오지
그러면 든든한 모자를 쓰지


여름이 오면 굵은 빗방울이 놀러오지
그러면 든든한 우산을 쓰지


여름이 오면 높은 기온이 놀러오지
그러면 시원한 팥빙수가 나타나지


그래도 그래도 여름이 오면
시원하고 즐거운 방학이 있어서 행복하지

# 즐거운 소풍(고령 대가야박물관)

신기방기 박물관
탑도 보고 가야금도 보고
대단해!
옛날 사람들은 정말 대단해

딩가딩가 가야금을 연주하는 사람들
나도 연주해보고 싶네

힘들었던 등산
풍경도 보고 산도 보고
힘내자!
우리 학급 친구들은 정말 즐거워

빨리빨이 산을 올라가자!
다음에는 더 높은 산으로 올라가야지

# 꼭 할거야!

휴식같은 여름방학이 오면
냠냠 쿨쿨 늦잠을 자야지
꼭 할거야!

신나는 여름방학이 오면
룰루 랄라 여행을 가야지
꼭 할거야!

재밌는 여름방학이 오면
이야기가 가득한 책을 읽어야지
꼭 할거야!

행복한 여름방학이 오면
숨겨둔 나만이 하고 싶었던 일들을
모두 모두 할 수 있겠지

# 너가 나빠! (수달을 지켜주세요)

너가 나빠!
수달의 안전한 집을 없앴잖아

너가 나빠!
수달의 맛있는 먹이를 없앴잖아

너가 나빠
수달의 시원한 물을 없앴잖아

너가 우리를 지키려면
환경을 보호해줘

그러면 너와 우리 모두
즐겁고 행복하게 살아갈 수 있어

# 생명은 소중해

생명은
한 번 잃어버리면 다시 찾을 수 없는 거예요
이 세상의 무엇보다도 소중하죠


소중함이란
자신이 잃으면 슬픈 거예요
다른 것과 바꿀 수 없는 것이죠


생명은 소중한 것이고
소중한 것은 주변에 있는 모든 것들이죠


하지만 생명의 소중함이란
다른 어떤 것과도 바꿀 수 없는 가장 중효한 것이죠

# 오늘은 말 타는 날

오늘은 콩닥콩닥 말 타는 날
쫑긋쫑긋 주의사항을 듣죠

오늘은 신기방기 말 타는 날
맛있는 당근을 말에게 주기도 하죠

오늘은 다그닥 다그닥 말 타는 날
움직이고 살아있는 것을 타는 새로운 경험이죠

오늘은 히히힝 말 타는 날
말 울음소리도 듣고 말과 이야기도 나누죠

오늘은 재밌는 말 타는 날
신나고 즐거운 최고의 날

# 가 을 에 는

가을에 산에는 무엇이 있을까?
울긋불긋 예쁜 단풍잎이 있지
다람쥐가 먹는 도토리도 있어

가을에 학교에는 무엇이 있을까?
신나는 운동회를 즐겁게 하면
노란 은행잎이 나풀나풀 우리를 응원하지

가을에 할머니 집에는 무엇이 있을까?
가족들 만나는 차례를 지내고
맛있는 음식을 나우어 먹지

가을에 우리 집에는 무엇이 있을까?
엄마 아빠 생일이 있어
맛있는 케이크도 만들고 선물도 나누어 주지

# 잿빛 구름

반짝 반짝 빛나는 별 사이로
하늘에서 빛나는 잿빛 구름

하늘과 구름 사이가 정말 아름답다
내 인형 라미도 하늘과 구름을 바라본다

사랑하는 누군가를 기다리며
어두워진 잿빛 거리르 바라본다

저 멀리서 두 사람이 환하게 걸어온다
잿빛 같은 내 마음이 환하게 밝아진다

내 인형 라미와 나의 얼굴에
환한 미소가 번진다

## 우 리 가  타 는  멋 쟁 이  지 하 철

지하철은 멋쟁이 같아
"왜 그럴까?"


지하철은 매우 빨라
속도가 빠른 기차처럼 빨라


지하철은 매우 길어
들쑥날쑥 키가 큰 아파트가 누워있는 것 같아


지하철은 어디든지 갈 수 있어
비행기처럼 여행을 갈 수 있어


지하철은 무지개 옷을 정말 잘 입어
검정, 초록, 노랑, 주황 셀 수 없을 정도야


비행기처럼 시원하게 날지는 못해도
무지개처럼 알록달록 하지 못해도
충분히 충분히 멋진 지하철이야

# 지우개의 하루

지우개는 하루 종일 무엇을 할까?
"오늘은 모든 것을 없애버려야지!"
맞아
지우개는 나쁜 사람 없애주는 경찰 아저씨 같아


지우개는 하루 종일 무엇을 할까?
"오늘은 물감 옷을 입어야지!"
맞아
지우개는 알록달록 여러 가지 색깔을 가진 멋쟁이 같아


나는 하루 종일 무엇을 할까?
"오늘은 지우개 따먹기 해야지!"
안돼 안돼
지우개는 내 책상을 떠나고 싶어하지 않아


피곤한 하루를 마친 지우개는
필통 속으로 쏘옥 들어가
쿨쿨
잠을 자야 내일도 신나게 보낼 수 있어


49 하유빈

# 반짝 반짝 나의 치아

반짝 반짝 나의 앞니가 없던 시절
나는 발음을 제대로 못 하였어요

반짝 반짝 나의 송곳니가 없던 시절
질기고도 질긴 고기를 먹지 못 하였어요

반짝 반짝 나의 어금니가 없던 시절
아기처럼 오물오물 씹지 못 하였어요

반짝 반짝 나의 치아는
치카치카 양치질을 좋아하고
음식을 먹고 이에 끼이는 것을 싫어해요

반짝 반짝 나의 치아는
내 몸과 함께 튼튼히 자라기 위해
계절마다 의사 선생님을 만나야 하죠

반짝 반짝 나의 치아는
내가 미소 지을 때마다
환한 조명처럼 얼굴을 밝게 만들어 주지요

# 학교에서 보내는 시간들

사회 시간에 친구들과 함께 하는 일은 무엇일까요?
친구들과 함께 푸른 지도를 바라보며 작은 촌락을 찾아보지
요

국어 시간에 친구들과 함께 하는 일은 무엇일까요?
친구들과 함께 재미있는 이야기를 읽고 서로 이야기를 나누
지요

과학 시간에 친구들과 함께 하는 일은 무엇일까요?
친구들과 함께 신기한 실험을 하며 새로운 사실을 발견 하
지요

이렇게 친구들과 재미있는 과목을 공부하다 보면
학교에 있는 시간은 어느새 훌쩍 지나가 버려요

학교에 있는 시간이 후루룩 지나버리면
내일을 기다리며 숙제를 하죠

# 봄에만 볼 수 있는 것들

팝콘처럼 톡톡 튀는 듯한 벚꽃은
아름다운 봄에만 볼 수 있는 것이죠

무지개처럼 색깔이 다양한 튤립은
색깔이 다양한 봄에만 볼 수 있지요

붉은 물감을 풀어 놓은 듯한 영산홍은
붉은 꽃들이 많은 봄에만 볼 수 있어요

많은 꽃들을 볼 수 있는 봄이 오면
여러 가지 다양하고 아름다운 이야기가 펼쳐지는
꽃들의 세상이 되지요

# 학급회의

오늘은 학급회의 하는 날
여러 가지 의견과 여러 가지 주제를
발표하고 이야기하는 시간

오늘은 학급회의 하는 날
여러 가지 찬성과 여러 가지 반대들
서로의 의견을 표결하는 시간

오늘은 학급회의 하는 날
정해진 의견을 모으고
꼭 지키자고 약속하는 시간

오늘은 학급회의 하는 날
재미있는 학급회의
다음에도 하자
다음에도 잘 하자

## 우유 상자 속의 답장
### (나미야 잡화점의 기적을 읽고)

때론 힘들 때도 있고
실망할 때도 있겠죠

그 때는 나미야씨에게
나야미(고민)을 말해보아요

나미야씨에게 말하다 보면
흘러가는 시간처럼 기억 속에서 조용히 사라질거예요

꿈을 이루지 못할 때도 있고
사랑하는 사람을 잃을 때도 있죠

성공하지 않아도 좋아요
내 발자국을 남긴다면 그 것으로 충분해요

우유상자 속의 답장을 가슴에 품으면
자신을 넘어 설 수 있는 용기과 자신감이 생겨나요

뒤돌아보지 말고 무서워하지 말고

멈추지 말고 포기하지 말고

살아가요 당신처럼

# 꿈나라 호빵

둥근 달 같은
내 꿈나라 호빵

한 입 베어 물면
구름 위로 둥둥

다시 베어 물면
아이 뜨거워하며 눈물이 핑

두 입 베어 물면
아이 맛있어하며 미소가 쫙

호빵은 내 기분을
오락가락하게 만드는

내 기분을
좋게하는 꿈나라 호빵

# 우리 가족

우리 가족은 행복한 가족
항상 서로에게 도움을 주어요

우리 아빠는 기쁠 때
나보다 더 기뻐해주시죠
숲 속에 있는 울창한 나무 같아요

우리 엄마는 언제나
항상 웃으며 이야기 해주시죠
숲 속에 있는 작은 새 같아요

나는 부모님께 도움을 드리고
행복하게 해드리려 노력하죠

숲속에 있는 무엇이든 될 수 있는
다 피지 못한 새싹이지요

가족이라는 숲 속을 가꾸고
아름답게 만드는 우리는 행복한 가족이지요

비가 오거나 천둥이 내리면

항상 서로를 감싸고 안아주며 숲 속을 지켜나가요

# 봄비

봄에만 내리는
큰 악기 소리

세상 모든 것이
봄비를 환영해 준다

쑤욱쑥 자라는 새싹은
소리가 맑은
클라리넷이 되고

우는 개구리는 딱딱 소리 나는
캐스터네츠가 되고

봄비 내리고 꽃잎 떨어지면
탬버린처럼 짤랑 짜알랑

봄비 맞으면 가는 오리는
총총 트라이앵글이 되네

가로수가 바람에 흔들리면

왈츠 봄의 왈츠


다 같이 합주하고

연주하며 완성되어 가는 봄의 세상

# 가을에 온 손님 2

향기로운 향기가 점점 다가와요
어서오세요. 누구세요?
활짝 핀 코스모스예요
아이가 싱글벙글 웃고 있는 것처럼
이쁜 얼굴이네요


쌀쌀한 바람이 점점 가까워져요
어서오세요. 어번엔 누구세요?
가을 바람이예요
감기에 걸리지 않도록 따뜻한
스웨터 한 벌 어떠세요?


바스락 바스락 소리가 점점 다가와요
어서오세요. 이번엔 또 누구세요?
가능 단풍이예요
빠알간 단풍잎처럼
따뜻한 마음을 가져봐요


가을이면 찾아오는 손님들

이미 찾아온 밤 옆에는
단풍이 내려 앉고
코스모스도 예쁘게
내려 앉았어요

가을에 찾아온 예쁜 손님들
모두 함께
가을을 행복하게 만들어보아요

# 봄을 맞이한 학교

봄을 맞이해서 모든 것이
새로워진 학교

개학으로 바뀌고
새로운 내 교실은 언제나 낯설고 새롭다

함께 있으면 가족 같고
따로 있어도 힘이 되는 내 친구들

친구들과 있으면 재미있는 일들이
가득한 놀이공원처럼 좋아

뒤에서 도와주고 받혀주는
시원한 우리만의 세상

봄을 맞이해 모두가
새롭게 새단장을 한다

# 그 날이 오면(독립운동을 기리며)

그 날이 오면
언니와 오빠들은
탕탕탕 소리와 함께 비명을 지릅니다

당장이라도 달려가서
안아주고 구해주고 싶지만
과연 실제라면 그런 용기가 날까

하지만 다짐합니다
나도 조금 더 크면 할 수 있을거라고
다시 한 번 다짐합니다

아직은 용기가 나지 않아
희생된 언니와 오빠들의
용기와 신념을 우러러 봅니다.

지금 떠나간 언니와 오빠들을 기리며
학교 책상 앞에 앉아
열심히 공부하고 뒤를 따르겠습니다

그 날이 오면

나도 친구들과 함께

나라의 미래를 위해 용기를 내어 나서겠습니다

# 창문

우리 학교 창문 닦다
힘들어 친구 쳐다보자

같이 창문 닦던 친구도
힘들었는지 웃으며 날 쳐다본다

빨리 닦고 가자고 친구랑
신나게 내기하는데

한 발짝 물러서서 멍 때리니
없어졌나 싶어 창문 탁하고 쳐다봤다

그제서야 창문이 있구나 해서
혼자 신기해하다 웃었다

창문 다 닦고
선생님께 칭찬 받을 생각으로
신나게 놀다가 뒤를 휙 둘러보니
창문이 나를 보며
지그시 웃어주는 것 같았다

**작가의 말 |**

계성초등학교 1학년부터 6학년까지 다니며 행복한
순간, 기억하고 싶은 순간들을 기록하였습니다.

초등학생 시절의 순수함을 떠올릴 수 있는 동시로
구성되어 있습니다.
1학년부터 6학년까지 지은 시들을 주제나 계절별
묶음 없이 성장하면서 지은 날 순서대로 나열하여
시인의 감성적 성장 순으로 시를 엮었습니다.

동시를 자주 접할 수 있는 환경을 만들어 준
계성초등학교 선생님들에게 감사를 드립니다.

그리고 부모님과 가족에게도 감사드립니다.